Super-Angie

Super-Angie

und ihr Schattenkabinett

Herausgegeben von der Mosquito-Redaktion

Die Deutsche Bibliothek – CIP-Einheitsaufnahme
Ein Titeldatensatz für diese Publikation ist bei der
Deutschen Bibliothek erhältlich.

Mosquito ist das Humor- und Geschenkbuchprogramm
im Europa Verlag

Umschlaggestaltung: Frauke Weise, Hamburg
Satz und Layout: Paxmann Teutsch Buchprojekte, München
Druck und Bindung: D+S Druck und Service GmbH, Neubrandenburg
ISBN 3-203-85351-5

Bildnachweise
dpa: Seite 6, 7, 8, 11, 14, 15, 16, 20, 21, 22, 23, 24, 25, 27,
28, 29, 30, 32, 35, 36, 37, 38, 40, 42, 44, 47, 48, 49, 50, 52,
54, 55, 56, 57, 58, 60, 61, 62, 63
ddp: Seite 9, 10, 12, 13, 17, 18, 26, 33, 34, 39, 41, 43, 45, 46,
49, 53, 59, 64

Informationen über unser Programm erhalten Sie beim
Europa Verlag, Neuer Wall 10, 20354 Hamburg,
oder unter www.europaverlag.de.

Angie zu zweit

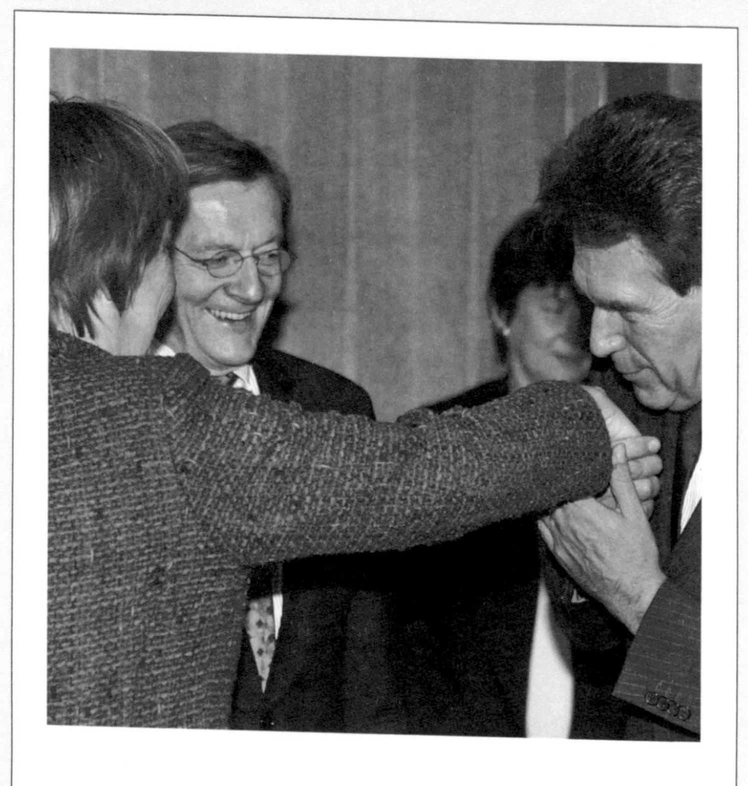

Verdammt, immer wenn der Glos mir einen Handkuß gegeben hat, kriege ich Hautausschlag.

Sekunde, ich zieh Ihnen grad mal das Messer aus dem Rücken.

**Ich finde alleine raus, Eure Eminenz …
und kommen Sie doch am Wochenende
mal zum Grillen vorbei!**

Knallenge Shorts, Jeanshemd, Bart ab – und schon könnte mir der Knabe gefallen.

Verdammt! Ich kann es nicht leiden, daß der mir immer nachläuft.

**60 oder 90 Grad?
Bei welcher Temperatur lassen sich
illegale Spenden am besten waschen,
Herr Bundeskanzler?**

Nach der Wahl kannst Du die Sperrholzplatte ja für Deinen Hobbykeller haben, Laurenz.

Schau mal, da läuft dem Joschka seine vierte Frau weg. –

Ist das nicht die fünfte?

Rechts oder links, Laurenz?
Wo ist Kanthers Schlüssel für das Schweizer Schließfach?

Tja, also wie erklär ich Ihnen am besten, wie sich eine Schwangerschaft anfühlt?

Jetzt freut er sich, daß ihm mal einer auf die Schulter klopft. Ich freu mich, wenn alle über den „Ich bin doof"-Zettel auf seiner Jacke lachen.

Bo ey, was hat die denn wieder gegessen?

Sie müssen das Ding schon hin und her bewegen, sonst bimmelt's nicht!

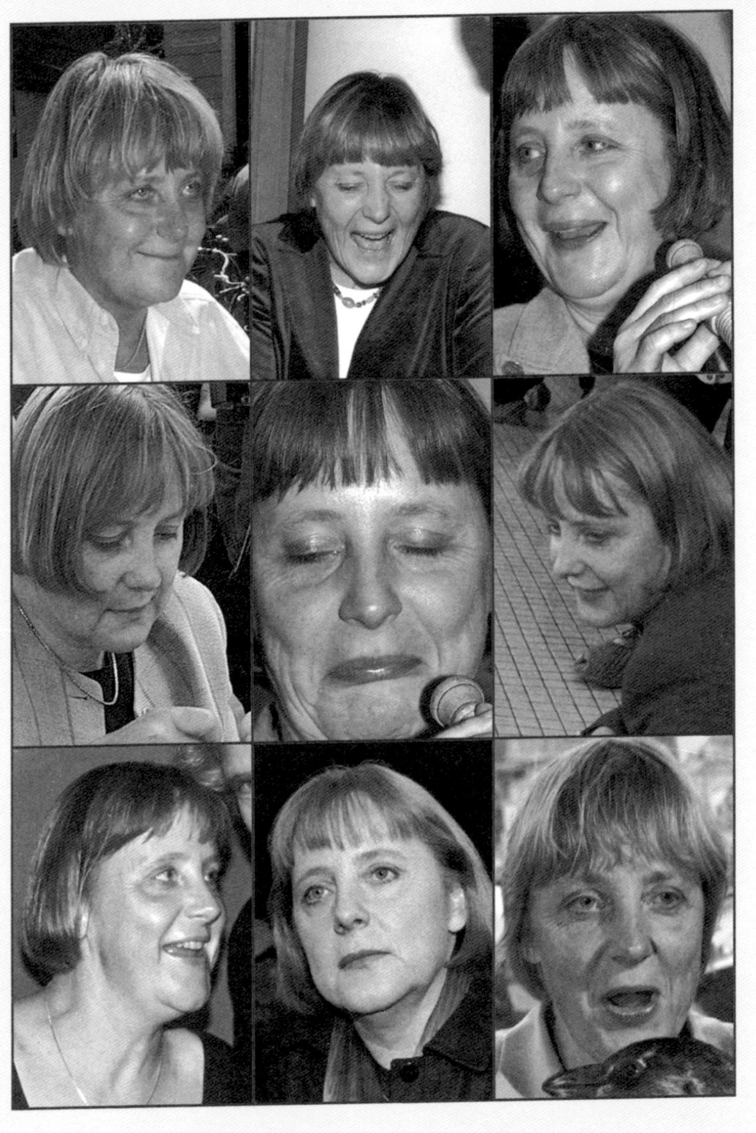

Angie hat Ideen

So kicke ich den Edmund doch noch nach Brüssel.

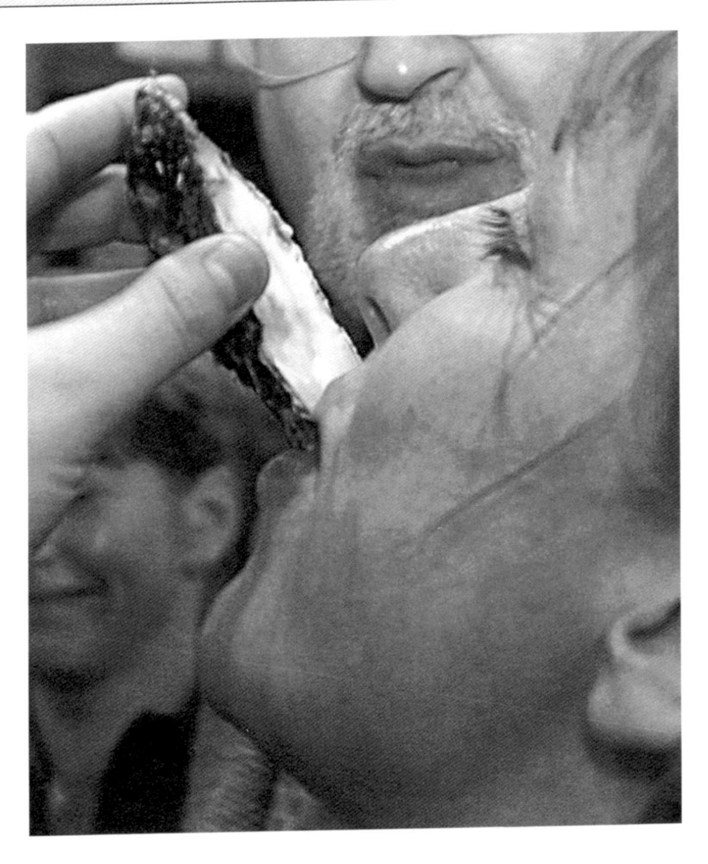

Gab's ja auch in Wandlitz.
Aber diesmal esse ich die Schale
nicht mit.

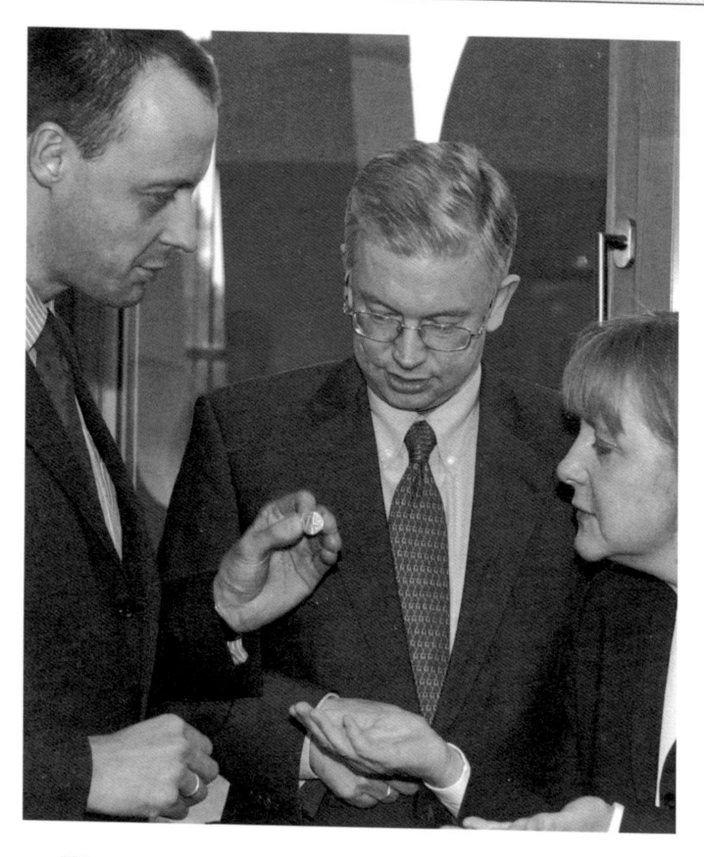

Die Wanze kriegt Doris als Schmuck zum Geburtstag. Wir beim BDI und die CDU werten dann gemeinsam aus.

Ich wußte gar nicht, daß es soooo versaute Stoiber-Witze gibt.

Ich war echt voll traurig, als sich die Backstreet Boys aufgelöst haben.

... und natürlich habe ich nichts drunter, Thommi.

**So Mädels, das geht ganz einfach:
eine rechts, eine links, eine fallen lassen.**

**Vom Trabbi bis zum Jumbo
kann ich jetzt alles steuern.
Auch Deutschland.**

Findet ihr nicht auch, daß er aussieht wie der Nachwuchs von Fritz Merz?

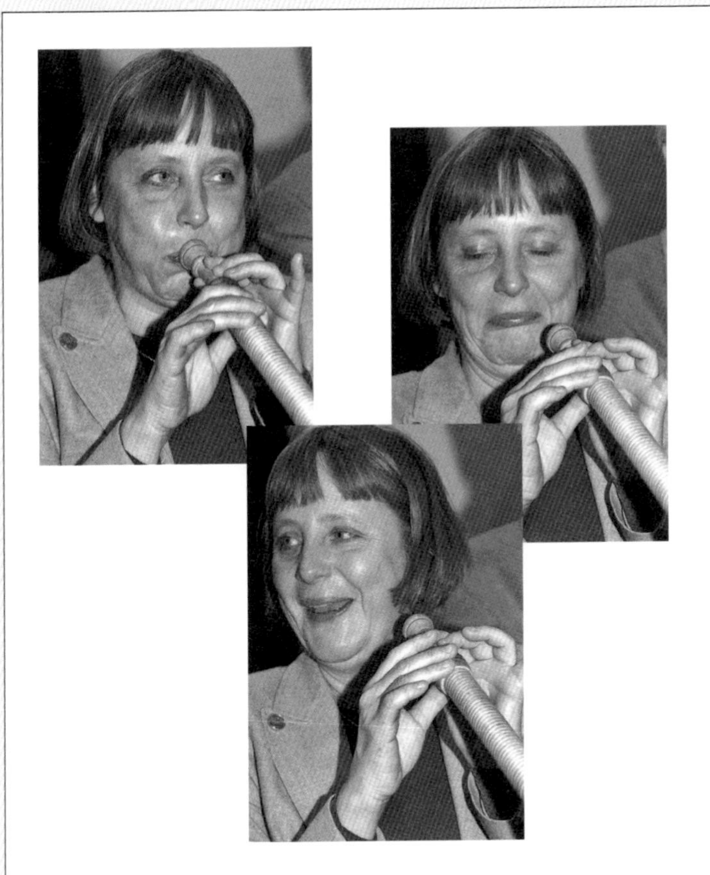

Dieses Chemnitzer Hammer-Dope werden sie uns in Holland aus den Händen reißen!

Irgendwie schade, daß er nicht mehr mitkoksen will.

Angie ist weg

Lacht ihr nur – jetzt bin ich in der Industrie: Ich werd euch noch beweisen, daß ich komisch bin.

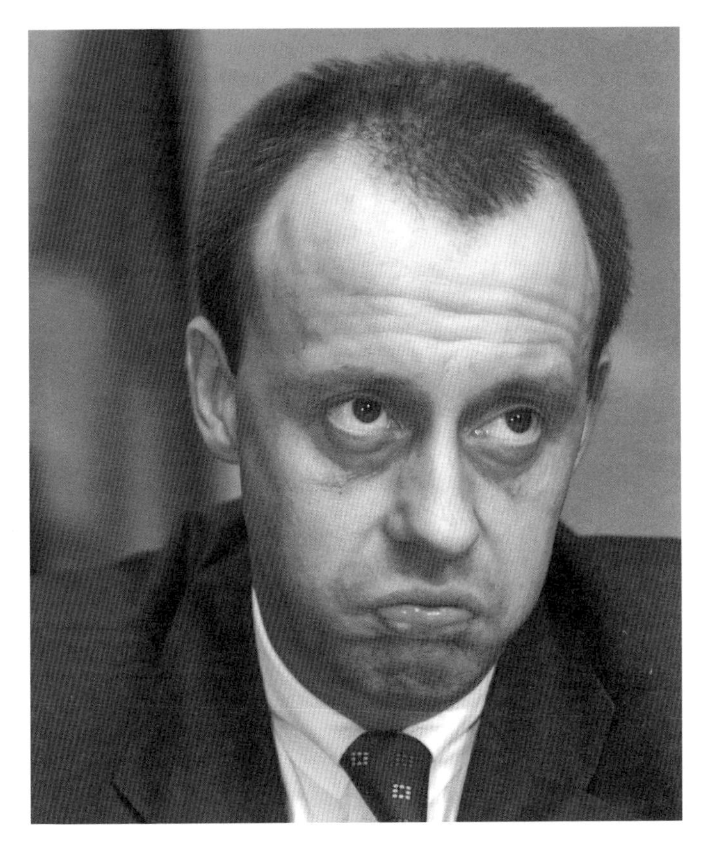

Vielleicht bin ich so unbeliebt, weil ich so gut aussehe?

Stell dir vor: Die Merkel macht jetzt 'ne Brigitte-Diät.
Aber sie heißt doch Angela!

Ich stell mir immer vor: Frankfurt, Messehalle, 5000 Leute, 20.000 Watt, und ich steh als DJ Rolli hinter meinen beiden Turntables und scratche die Massen in Ekstase.

Und dann habe ich den Bleistift so lange zwischen den Händen gerieben, bis die Akten Feuer gefangen haben.

Saufen kann er ja, der Westerwelle,
aber vom Blasen hat er keine Ahnung.

Abgemacht, Herr Thierse, Sie setzen sich undercover für die Industrie ein, und Sie behalten Ihren Job.

Hier, Frau Merkel, ein hübsches Handtäschchen für Sie!

**Die wenigsten wissen,
Fräulein Naddel, daß ich auch gerne
mal Möpse streichele.**

So, der mußte einfach raus. Ich tu so, als ob der von Angie war.

Was kriegen wir wohl bei Ebay für die Asche von Mölli?

Keine Ahnung von Rechtschreibung, diese Sozis! Die Fehler habe ich rot angestrichen.

Und Sie sind sich sicher, Herr Rühe, daß Sie die Parteispenden hier vergraben haben?

Mal sehen, wie lange Angie braucht, bis sie kapiert, daß wir den Euro mit Sekundenkleber auf die Fliese geklebt haben.

So übe ich zuhause immer Wählerhände schütteln.

Stimmt's eigentlich, daß Sie ein wenig cholerisch sind?
Halt's Maul, Du Sack!

Download?
Früher hieß das runterholen!

Weiter so, jaaa!

Ist echt nett, Arnie, daß du mir im Wahlkampf helfen willst. Jetzt nennt mich keiner mehr »schwaches Weib«.

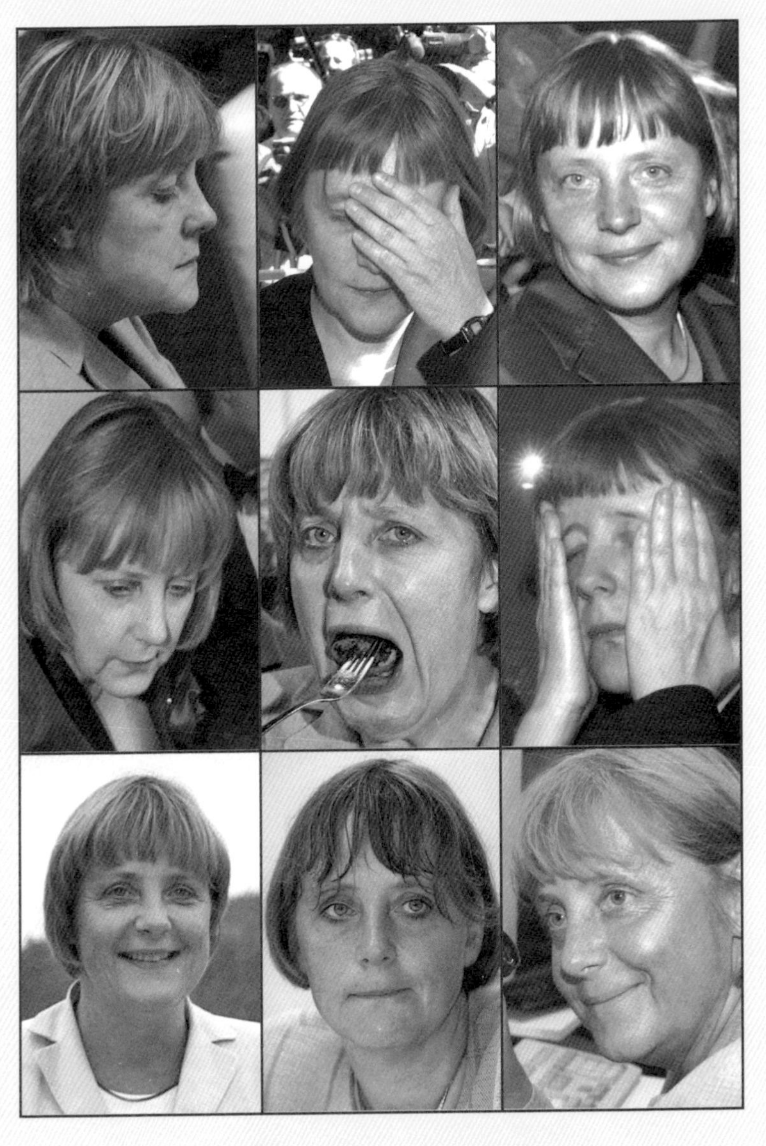

Angie privat

Ein Glück, daß man nach einem Bier
noch fahren darf.

Hmm, den heb ich mir fürs Abendbrot auf.

Sobald ich das Geld zurückgewonnen habe, lege ich es mit Zinsen wieder in die Fraktionskasse.

Ausgerechnet jetzt krieg ich meine Legislaturperiode!

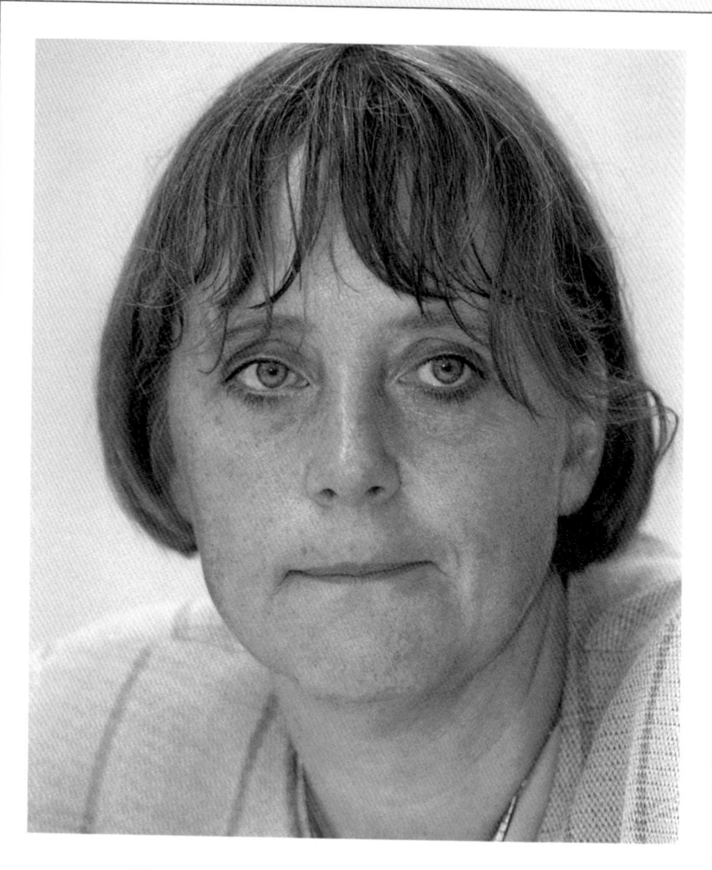

Ein Glück, daß es nur auf die Persönlichkeit ankommt.

Oh Gott, ich hab vergessen, das Bügeleisen auszustellen.

Lampen am Boden?
Deutschland kann mehr!

Und ich versichere Ihnen, Frau Merkel,
Schwertschlucken kann fast jeder.
Kopf in den Nacken, Mund auf …

Einen Fisch lege ich Wulff in die Tasche. Die anderen reichen für die Stoibers zum Abendessen.

Es gibt auch Momente,
da fühle ich mich attraktiv.

Und die wohnen alle zwischen meinen Zehen?

Ich hab dich ja sooo lieb.

Ach, leckt mich doch alle ...!